'Dwyt ti byth yn rhy fach i wneud gwahaniaeth.'

—Greta Thunberg

MAE EIN

AR

Jeanette Winter

TŶ NI AR DÂN

Cri Greta Thunberg
i Achub y Blaned

www.rily.co.uk

Merch dawel yw Greta.
Roedd hi'n byw'n dawel yn ninas Stockholm.
Ei chi, Roxy, oedd ei ffrind hi.

'Dwi wedi bod yn anweledig erioed . . .

. . . y ferch anweledig yn y cefn sydd ddim yn dweud gair.'
Roedd hi'n teimlo'n unig yn yr ysgol.

Yna un diwrnod, soniodd athrawes wrth y dosbarth am yr hinsawdd,
am ein planed ni'n cynhesu, am yr iâ yn y ddau begwn yn toddi,
am fywydau anifeiliaid yn cael eu bygwth.
A'n bywydau ninnau, hefyd.

Dyna pryd newidiodd bywyd Greta.

Darllenodd hi am oriau.

Gwyliodd hi ffilm ar ôl ffilm am sut mae ein byd ni'n cynhesu.

Dim ond un peth oedd ar feddwl Greta am amser hir, hir.

Roedd hi'n gweld gwyntoedd nerthol yn udo dros y tir
a glaw trwm, trwm.

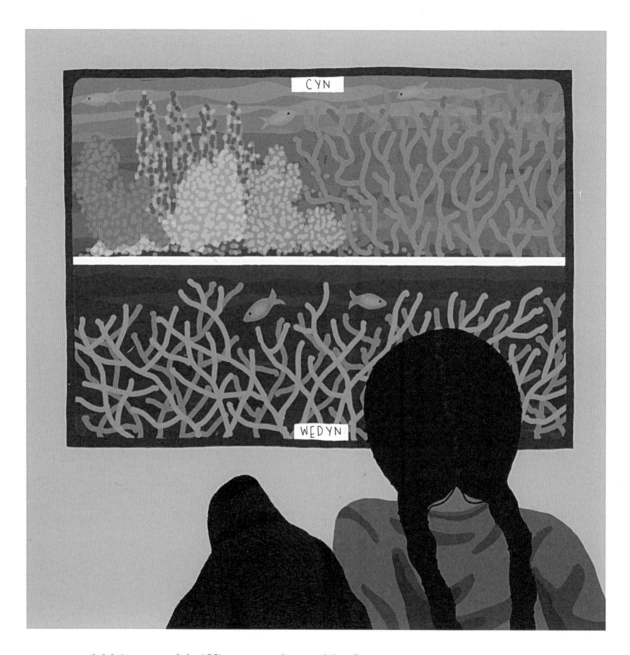

Roedd hi'n gweld riffiau cwrel, yn ddwfn iawn yn y môr – yn welw fel ysbrydion, ar ôl i'r dŵr gynhesu a'u troi nhw'n wyn.

Roedd hi'n gweld creaduriaid byw
yn brwydro i aros yn fyw.

Roedd Greta'n gweld llifogydd
dros dai, pobl ac anifeiliaid.

Roedd hi'n gweld dinasoedd yn cael eu llyncu
wrth i'r cefnforoedd godi.

Roedd hi'n gweld yr haul crasboeth
yn llosgi'r tir a'i adael yn sych grimp.

Roedd hi'n gweld fflamau tanau'n rhedeg
yn wyllt drwy'r coedwigoedd.

MAE EIN TŶ NI AR DÂN

Aeth Greta'n drist. Dim ond am yr hinsawdd roedd hi'n meddwl.
Prin roedd hi'n bwyta na siarad.

'Roedd y lluniau yna yn fy meddwl drwy'r amser.'

Roedd Greta'n drist am ddiwrnodau lawer.
Roedd hi'n mynd yn fwy anhapus bob dydd.
Efallai na fydd byd iddi fyw ynddo ar ôl iddi dyfu'n fawr.
Beth yw pwynt ysgol heb ddyfodol?
Beth allaf i ei wneud? meddyliodd.

Penderfynodd Greta fynd ar streic o'r ysgol – dros yr hinsawdd.

Roedd ei rhieni hi'n deall.

Aeth Greta ddim i'r ysgol un dydd Gwener ac aeth hi â'i phoster —

STREIC YSGOL DROS YR HINSAWDD —

i adeilad y Senedd i eistedd, ar streic.

Roedd hi'n gobeithio y byddai'r rhai sy'n gwneud deddfau yn ei gweld hi.
Cerddodd pobl heibio, yn rhy brysur i sylwi.
Roedd Greta'n anweledig yno, hefyd.

Byddai hi'n mynd i adeilad y Senedd bob dydd Gwener,
hyd yn oed yn y glaw.

Yna aeth y sôn ar led am ei streic hi.

Fesul tipyn, daeth rhagor o streicwyr ysgol i ymuno â hi.

Bob dydd Gwener, byddai ysgolion Stockholm braidd yn wag.

Dechreuodd mwy o bobl sylwi ar y plant oedd yn streicio.
Aeth y sôn ar led drwy'r gofod seiber am y streiciau ysgol bob dydd Gwener.

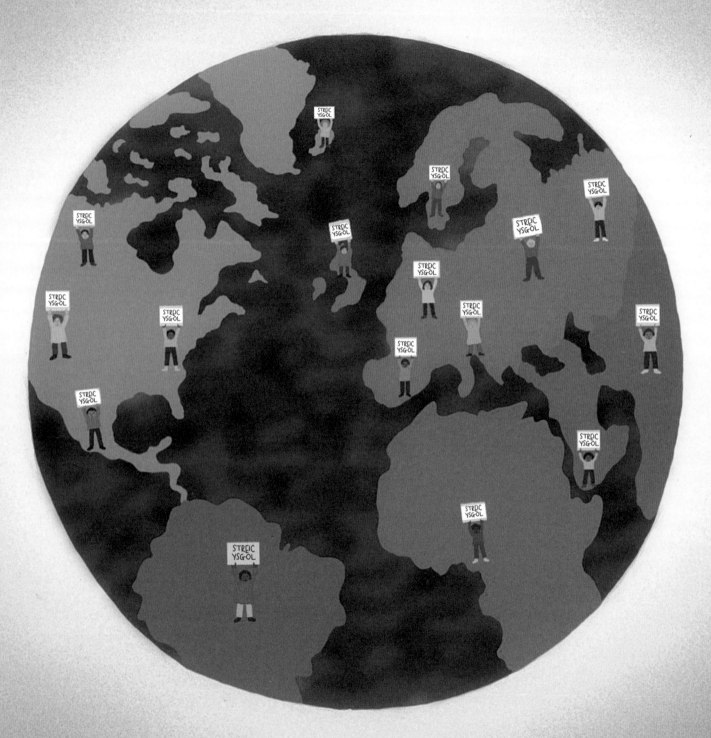

Dechreuodd plant streicio ym mhobman.
Os nad yw oedolion yn fodlon gwneud rhywbeth i achub y blaned,
bydd plant yn gwneud hynny.

Roedd Greta'n dechrau dod yn enwog.

Daeth gwahoddiad i'r ferch anweledig siarad â phobl bwysig iawn.

Roedden nhw'n trafod yr hinsawdd yn

Fforwm Economaidd y Byd yn Davos, y Swistir.

Siaradodd Greta ddim llawer, dim ond
pan oedd hi'n meddwl bod angen gwneud.

'Rydych chi'n dweud eich bod chi'n caru eich plant yn fwy na dim byd, ond eto rydych chi'n dwyn eu dyfodol o flaen eu llygaid nhw.'

'Mae angen i ni gadw tanwydd ffosil o dan ddaear.'

Daeth gwahoddiad i'r ferch anweledig siarad â phobl bwysig
y Cenhedloedd Unedig yng Ngwlad Pwyl.
Roedd angen iddi siarad.

'Dwi ddim eisiau
i chi fod yn obeithiol.
Dwi eisiau i chi gael panig.

Dwi eisiau i chi deimlo'r ofn
dwi'n ei deimlo bob dydd . . .

Dwi eisiau i chi ymddwyn
fel tasai'r tŷ ar dân.
Achos mae e.'

Oherwydd protest Greta ar ei phen ei hun bach,
dechreuodd plant ledled y byd orymdeithio.
Gyda miloedd o leisiau eraill, daeth ei llais tawel yn llais sy'n rhuo.

ALLWCH CHI EIN CLYWED NI?

DOES DIM PLANED B
GWYDDONIAETH NID TAWELWCH
Y BLANED NID ELW
PEIDIWCH LLOSGI FY NYFODOL
MAE'R DŴR YN CODI A NINNAU
MAE EIN TŶ NI AR DÂN
NID POLISI YW GWADU
CADWCH OLEW O DAN DDAEAR
HELPWCH FI!
ARGYFWNG
PEIDIWCH DINISTRIO EIN DYFODOL
dyw cynhesu byd-eang DDIM YN IACH
ACHUBWCH EDEN
CODWCH EICH LLAIS, NID LEFEL Y MÔR

AWYR IACH
CARWCH EIN BYD
MAE GLO'N LLADD
FY NYFODOL I
STREIC YSGOL
mae ein dyfodol yn eich DWYLO chi
CADWCH OLEW O DAN DDAEAR
ACHUBWCH EIN
Dim Esgusodi
EIN DYFODOL NI
DOES DIM PLANED B
Peidiwch bod yn FFŴL FFOSIL
DIM DIFRODI'R HINSAWDD
RHOWCH GWTSH WERDD I'R DDAEAR
Y DDAEAR YN GYNTAF
LLANAST POETH

BETH
DI

WNEI NAWR?

Roedd **Greta Thunberg** yn bymtheng mlwydd oed pan benderfynodd hi beidio â mynd i'r ysgol un dydd Gwener er mwyn streicio o flaen adeilad Senedd Sweden yn Stockholm oherwydd newid hinsawdd. Yn sgil ei gweithred hi ar 20 Awst 2018, cynhaliwyd streiciau ysgol ar ddyddiau Gwener gan blant mewn llawer o wledydd. Penllanw hyn oedd gorymdaith fyd-eang ar ddydd Gwener, 15 Mawrth 2019.

Dyma rai o'r gwledydd lle aeth myfyrwyr ar orymdaith:

Awstralia	Chile	Gwlad Belg	Iwerddon	Norwy	Slofacia	Wcráin	Yr Eidal
Awstria	China	Gwlad Groeg	Japan	Pilipinas	Slofenia	Y Deyrnas	Yr Iseldiroedd
Canada	De Affrica	Gwlad Pwyl	Latfia	Portiwgal	Sweden	Unedig	Y Swistir
Colombia	De Corea	Gwlad Thai	Lwcsembwrg	Rwsia	Unol Daleithiau	Y Ffindir	Y Weriniaeth
Croatia	Denmarc	Gwlad yr Iâ	Malta	Sbaen	America	Yr Almaen	Tsiec
Cyprus	Ffrainc	India	Mecsico	Seland Newydd	Uruguay	Yr Ariannin	

Ffynonellau

Gessen, Masha. 'The Fifteen-Year-Old Climate Activist Who Is Demanding a New Kind of Politics.' The New Yorker 2 Hydref 2018, www.newyorker.com/news/our-columnists/the-fifteen-year-old-climate-activist-who-is-demanding-a-new-kind-of-politics.

'Greta Thunberg Full Speech at UN Climate Change COP24 Conference.' Araith gan Greta Thunberg, YouTube, Connect4Climate, 15 Rhagfyr 2018, www.youtube.com/watch?v=VFkQSGyeCWg.

'Greta Thunberg Speech to UN Secretary General António Guterres.' Araith gan Greta Thunberg, YouTube, Fridays4Future, 4 Rhagfyr 2018, www.youtube.com/watch?v=Hq489387cg4.

'Greta Thunberg Our House Is on Fire 2019 World Economic Forum (WEF) in Davos.' Speech by Greta Thunberg, YouTube, UPFSI, 25 Ionawr 2019, www.youtube.com/watch?v=zrF1THd4bUM.

Hook, Leslie. 'Greta Thunberg: All My Life I've Been the Invisible Girl.' Financial Times, 22 Chwefror 2019, www.ft.com/content/4df1b9e6-34fb-11e9-bd3a-8b2a211d90d5.

'School Strike for Climate—Save the World by Changing the Rules.' Araith gan Greta Thunberg, YouTube, TedxStockholm, 12 Rhagfyr 2018, www.youtube.com/watch?v=EAmmUIEsN9A.

Sengupta, Somini. 'Becoming Greta: Invisible Girl to Global Climate Activist, with Bumps Along the Way.' New York Times, 18 Chwefror 2019, www.nytimes.com/2019/02/18/climate/greta-thunburg.html.

Watts, Jonathan. 'The Beginning of Great Change: Greta Thunberg Hails School Climate Strikes.' The Guardian, 15 Chwefror 2019, www.theguardian.com/environment/2019/feb/15/the-beginning-of-great-change-greta-thunberg-hails-school-climate-strikes.

'You Are Stealing Our Future: Greta Thunberg, 15, Condemns the World's Inaction on Climate Change'" Adroddiad gan Amy Goodman, Daily Show, Democracy Now!, 13 Rhagfyr 2018, www.democracynow.org/shows/2018/12/13.

Dyfyniadau

'Dydych chi byth yn rhy fach i wneud gwahaniaeth.'
[Dyfyniad o araith COP24 Gwlad Pwyl]

'Dwi wedi bod yn anweledig erioed . . .
. . . y ferch anweledig yn y cefn sydd ddim yn dweud gair.'
[Dyfynnwyd gan Leslie Hook, Financial Times]

'Roedd y lluniau yna yn fy meddwl drwy'r amser.'
[Dyfynnwyd gan Jonathan Watts, y Guardian]

'Rydych chi'n dweud eich bod chi'n caru eich plant yn fwy na dim byd, ond eto rydych chi'n dwyn eu dyfodol o flaen eu llygaid nhw.'
[Dyfyniad o araith COP24 Gwlad Pwyl]

'Mae angen i ni gadw tanwydd ffosil o dan ddaear.'
[Dyfyniad o araith COP24 Gwlad Pwyl]

'Dwi ddim eisiau i chi fod yn obeithiol. Dwi eisiau i chi gael panig. Dwi eisiau i chi deimlo'r ofn dwi'n ei deimlo bob dydd . . . Dwi eisiau i chi ymddwyn fel tasai'r tŷ ar dân. Achos mae e.'
[Dyfyniad o araith Fforwm Economaidd y Byd (WEF) yn Davos]

Pan glywais i ei hareithiau hi, ro'n i'n teimlo bod Greta'n siarad drosta i. Ac rwy'n wyth deg oed.
—Jeanette Winter

Cyhoeddwyd gan Rily Publications Ltd 2020 • Rily Publications Ltd Blwch Post 20, Hengoed CF82 7YR • Hawlfraint yr addasiad © Rily Publications Ltd 2020 • Addasiad gan Elin Meek • Cyhoeddwyd yn wreiddiol yn Saesneg yn 2019 dan y teitl Our House is on Fire gan Beach Lane Books, gwasgnod o adran gyhoeddi llyfrau plant Simon & Schuster • Hawlfraint © 2019 Jeanette Winter • Dyluniwyd y llyfr gan Irene Metaxatos • Cedwir pob hawl. Ni chaniateir atgynhyrchu unrhyw ran o'r cyhoeddiad hwn na'i gadw mewn cyfundrefn adferadwy na'i drosglwyddo mewn unrhyw ddull, na thrwy unrhyw gyfrwng electronig, mecanyddol, llungopïo, recordio, nac fel arall, heb ganiatâd ymlaen llaw gan y cyhoeddwyr • Mae'r cyhoeddwr yn cydnabod cefnogaeth ariannol Cyngor Llyfrau Cymru • www.rily.co.uk • ISBN 978-1-84967-468-3